Clár

Na cúig chéadfa

Insíonn do chúig **chéadfa** duit cad é atá ag tarlú thart ort. An bhfuil a fhios agat cad iad?

Nuair a itheann Seán oráiste, úsáideann sé a chúig chéadfa.

Feiceann sé cruth agus dath an oráiste.

Cluineann sé an fhuaim a dhéanann sé agus é ag cogaint an oráiste.

Mothaíonn sé cruth an oráiste agus an craiceann garbh.

Tig leis an t-oráiste a bholú.
Tig leis an sú a bhlaiseadh.

 BAIN TRIAIL AS!

Ith píosa de thoradh. Úsáid do chéadfaí! Cad é a thig leat a fheiceáil, a chluinstin, a mhothú, a bholú agus a bhlaiseadh?

Cuireann codanna éagsúla de do chorp teachtaireachtaí chuig d'**inchinn** sa dóigh go dtuigeann tú na rudaí a bhíonn tú a fheiceáil, a chluinstin, a mhothú, a bholú agus a bhlaiseadh.

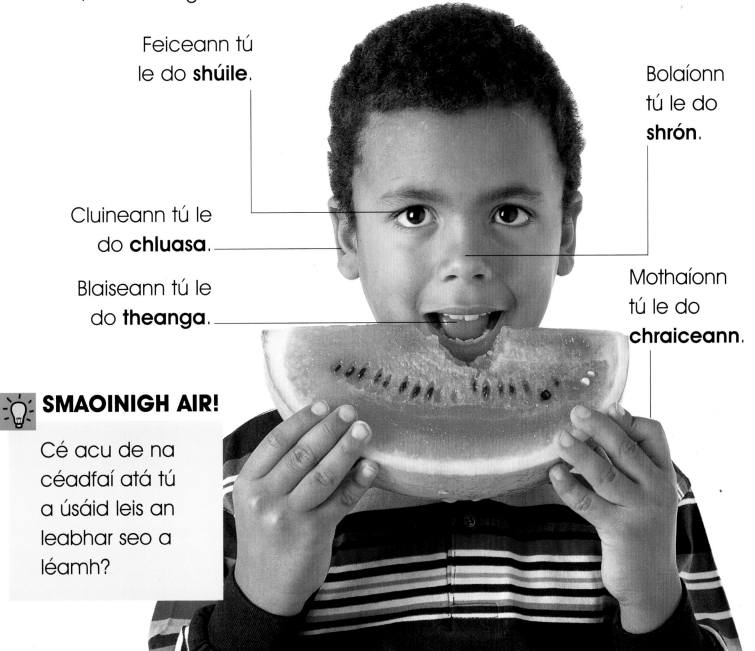

Feiceann tú le do **shúile**.

Bolaíonn tú le do **shrón**.

Cluineann tú le do **chluasa**.

Mothaíonn tú le do **chraiceann**.

Blaiseann tú le do **theanga**.

SMAOINIGH AIR!

Cé acu de na céadfaí atá tú a úsáid leis an leabhar seo a léamh?

7

Radharc

Le rudaí a fheiceáil, osclaíonn tú do shúile agus ligeann tú solas isteach iontu.

Cad é a thig leat a fheiceáil nuair a bhíonn do shúile druidte gan solas ar bith ag teacht isteach?

Is le do shúile a fheiceann tú dathanna, cruthanna agus rudaí ag bogadh.

Cad iad na cruthanna agus na dathanna a fheiceann tú sa phictiúr seo? An bhfuil rud ar bith ann nach bhfaca tú riamh roimhe?

Na rudaí sa phictiúr seo, ní thig leat ach amharc orthu. In amanna nuair a fhaigheann tú rud éigin úr, bíonn ort é a mhothú, éisteacht leis nó é a bholú lena fháil amach cad é atá ann.

 **BAIN TRIAIL AS!**

Pioc ceann de na rudaí a fheiceann tú sa phictiúr. Tarraing agus dathaigh é. Cóipeáil an dath agus an cruth go cúramach.

Seo dhá phictiúr a tógadh den aon áit amháin, ceann acu i rith an lae agus an ceann eile nuair a bhí sé ag éirí dorcha. Cé acu is daite?

Bíonn solas de dhíth ar do shúile le dathanna a fheiceáil.

Tá radharc i bhfad níos fearr ag ainmhithe oíche ná atá againne, ach ní fheiceann a súile dathanna go rómhaith. Dubh agus bán is mó a fheiceann an cat.

 BAIN TRIAIL AS!

Druid cuirtíní do sheomra leapa sa lá, ach lig rud beag solais isteach. An bhfuil sé furasta dathanna a aithint?
Anois oscail na cuirtíní. An bhfuil sé níos fusa na dathanna a aithint anois?

9

Dhá shúil

Cuidíonn do dhá shúil leat a oibriú amach cé chomh cóngarach duit nó chomh fada uait agus atá rudaí.

BAIN TRIAIL AS!

Coinnigh peann amach os do chomhair i lámh amháin agus an barr sa lámh eile. Druid súil amháin. An dtig leat an barr a chur ar an pheann? Anois oscail an dá shúil agus triail arís é. Cé acu is fusa – le súil amháin oscailte nó le dhá shúil oscailte?

10

Is **sealgaire** é an liopard agus tá dhá shúil aige i dtosach a chloiginn mar atá againne. Caithfidh sé bheith ábalta a oibriú amach cá háit go díreach a bhfuil an **chreach.**

Tá eagla ar an antalóp seo. Is ar thaobh a chinn atá a shúile sa dóigh go dtig leis amharc thart air. Feicfidh sé **namhaid** mar an liopard go gasta agus beidh sé ábalta éalú - sula mbíonn sé rómhall!

 SMAOINIGH AIR!

Is ar thaobh a chinn atá súile an éin seo. Cé na hainmhithe a bheadh sé a choimhéad? Nuair a amharcann tú ar ainmhí, tabhair faoi deara méid agus cruth a chuid súl agus an áit a bhfuil siad. Cad chuige a bhfuil siad mar sin, dar leat?

11

Éisteacht

Tugann na fuaimeanna a chluineann tú le do chluasa cuid mhór **eolais** duit faoi rudaí nach dtig leat a fheiceáil.

Smaoinigh ar na fuaimeanna a dhéanann bonn airgid ag casadh, tae á chorraí le spúnóg sa chupán, páipéar á ghearradh agus méar ag bogadh ar chíor.

BAIN TRIAIL AS!

Iarr ar chúpla cara a súile a dhruidim agus déan fuaimeanna mar na cinn sna pictiúir. An dtig leo a rá leat cad é a chluineann siad?

Úsáideann cuid mhór ainmhithe an éisteacht le coinneáil slán.

Ardaíonn an coinín a chluasa nuair a mhothaíonn sé contúirt. Buaileann sé a chos chúil ar an talamh le rabhadh a thabhairt do na coiníní eile.

Ardaíonn gach cineál ainmhí a gcluasa le rudaí a chluinstin níos fearr.

Ní thig leatsa do chluasa a ardú, ach cuir lámh le do chluas chuig fuaim bhog éigin cosúil le raidió atá ag gabháil go híseal. Cuideoidh sé leat an fhuaim a chluinstin níos fearr.

 AMHARC SIAR

Ar leathanach 11 cuardaigh ainmhí a bhfuil súile ar thaobh a chinn aige agus cluasa a chluineann gach rud thart air lena insint dó an bhfuil namhaid in aice leis.

13

Éist leis seo!

Is lena fháil amach cad é atá daoine a rá is mó a úsáidimid an éisteacht. B'fhéidir gur ag éisteacht le scéal nó le do mhúinteoir ag insint rud éigin duit a bhíonn tú. Nó b'fhéidir gur maith leat bheith ag comhrá.

☀ SMAOINIGH AIR!

An cuimhin leat cuid ar bith de na rudaí a dúirt daoine leat inniu? An raibh cuid ar bith acu tábhachtach?

Úsáideann ainmhithe fuaimeanna le teachtaireachtaí a chur chuig a chéile fosta.

Ceolann na míolta móra fuaimeanna aisteacha chuig a chéile faoin uisce.

Bíonn an t-uan ag méileach lena mháthair a fháil. Scairteann an mháthair "báá!' ar ais.

14

Chomh maith le do chluasa, tig leat do shúile a úsáid lena fháil amach cad é atá daoine a rá.

Úsáideann daoine nach bhfuil éisteacht acu a súile in áit a gcluas le daoine eile a thuiscint. Úsáideann siad **teanga chomharthaí** agus amharcann siad ar liopaí daoine ag bogadh lena fháil amach cad é atá siad a rá.

BAIN TRIAIL AS!

Gan fuaim ar bith a dhéanamh, iarr ar do chara teacht chun tí. Inis dó, gan labhairt, go bhfuil ocras ort agus gur mhaith leat rud éigin le hithe.

SMAOINIGH AIR!

Nuair a bhíonn tú ag éisteacht le duine ag labhairt leat, cad air a mbíonn tú ag amharc? An dtuigeann tú níos fearr é má amharcann tú air?

15

Tadhall

Tig leat cuid mhór a fhoghlaim faoi rud má bhaineann tú dó. Nuair a leagann tú do lámh ar rud éigin, mothaíonn tú é. Samhlaigh an scuab ghruaige sa phictiúr seo a mhothú agus do shúile druidte. Bheadh a fhios agat cad é atá ann mar chonaic tú agus mhothaigh tú scuab ghruaige roimhe seo.

BAIN TRIAIL AS!

Iarr ar do chara roinnt rudaí a chur isteach i gclúdach ceannadhairte. Caithfidh rud amháin nach bhfaca tú riamh roimhe bheith ann. Déan cinnte nach bhfuil rud ar bith géar ann. Mothaigh na rudaí le do lámh lena fháil amach cad iad. Cé acu atá furasta a aithint agus cé acu atá doiligh a aithint?

Is é do chraiceann an chuid de do chorp a mothaíonn tú rudaí léi. Tá an craiceann ar bharra na méar iontach **mothálach,** mar sin tá siad iontach maith le rudaí a mhothú.

 BAIN TRIAIL AS!

Iarr ar do chara a súile a dhruidim. Cuir an dá rinn de bhiorán gruaige ar chúl a láimhe. Cá mhéad acu a mhothaíonn sí? Cuir an dá rinn ar bharra a cuid méar. Cá mhéad a mhothaíonn sí anois? Cé acu is mothálaí, barra a cuid méar nó cúl a láimhe?

 **AMHARC SIAR**

Amharc siar ar leathanach 6. Cad é a mhothaíonn Seán lena mhéara?

17

Mothaitheoirí

Mothaíonn ainmhithe rudaí lena gcraiceann mar a dhéanann tusa, ach tá dóigheanna eile acu fosta le rudaí a mhothú.

Ar imir tú cluiche púicín riamh nó ar shín tú amach do lámha ar eagla go mbuailfeá in éadan ruda éigin sa dorchadas?

Oibríonn **féasóg** luchóige ar an dóigh chéanna. Insíonn sí don luchóg cad é atá ag tarlú thart uirthi sa dorchadas.

 AMHARC SIAR

Amharc siar ar leathanach 9. Cad é mar a chuidíonn féasóg an chait leis agus é ag seilg?

18

Bíonn mothaitheoirí, ar a dtugaimid **aintéiní,** ar chloigeann an tseilide. Síneann na haintéiní amach agus mothaíonn siad an bhfuil rud éigin sa bhealach sula mbuaileann an seilide ina éadan.

Is iontach na haintéiní a bhíonn ag feithidí le rudaí a mhothú.
Úsáideann siad na haintéiní fosta le rudaí a bholú, a bhlaiseadh agus a chluinstin!

 **SMAOINIGH AIR!**

An dtig leat smaoineamh ar ainmhí ar bith eile a bhfuil féasóg nó aintéiní air?
Cad chuige, dar leat, a dtugtar mothaitheoirí ar aintéiní?

19

Boladh

Ní thig leat bolaithe a fheiceáil ach bíonn siad thart timpeall ort san aer a análaíonn tú. Is thuas istigh i do shrón atá an chuid de do chorp a mhothaíonn boladh.

Bíonn boladh éigin ó rudaí de ghnáth.

Ar mhothaigh tú boladh ceann ar bith acu seo roimhe?

Bíonn boladh cumhra ó bhláthanna.

Bíonn boladh blasta ón bhia is fearr leat.

Bíonn boladh bréan ó éadach soithí atá salach.

 BAIN TRIAIL AS!

Iarr ar dhuine fásta cuidiú leat rudaí a bhfuil boladh láidir uathu a roghnú - líomóid, gallúnach nó bróg. Níl cead ag do chara na rudaí a fheiceáil ná a mhothú lena lámh - caithfidh sí iad a bholú go díreach. An dtig léi na rudaí a aithint? Ná smúr púdair cosúil le plúr nó talc mar tig leo dul isteach i do shrón agus dochar a dhéanamh.

Is minic a thugann boladh teachtaireacht thábhachtach dúinn.

Insíonn an boladh cumhra ó bhláth don bheach go bhfuil bia ansin di.

Bíonn boladh blasta ó bhia úr. Cuireann sé seo ocras ort.

Nuair a bhíonn drochbholadh ó éadach soithí bíonn an t-éadach lán **frídíní**. Bíonn sé in am agat ceann glan a fháil.

21

Ag bolú

Tá cuid de na hainmhithe an-mhaith ag bolú. Insíonn an boladh i bhfad níos mó dóibhsean ná a insíonn sé do dhaoine.

Úsáideann na póilíní madraí le teacht ar rudaí.

Bíonn bolaithe san uisce chomh maith leis an aer. Faigheann siorcanna boladh fola i bhfad ar shiúl uathu san uisce.

 AMHARC SIAR

Amharc siar ar leathanach 11. Tig leis an liopard an chreach a sheilg óna boladh, fiú sula bhfeiceann sé í. Cad é mar a úsáideann an t-antalóp céadfa an bholaithe?

22

Is minic a bhíonn boladh ar leith ó ainmhithe sa dóigh go dtig leo a chéile a aithint.

Má chailleann fia a babaí sa tréad, aithníonn sí a bholadh agus tig léi teacht air arís.

Úsáideann an sionnach boladh láidir leis an cheantar ina maireann sé agus ina mbíonn sé ag seilg a mharcáil.

 BAIN TRIAIL AS!

An bhfuil tusa maith ag bolú? Bain an craiceann d'oráiste agus cuir ar phláta é. Iarr ar do chara é a chur i bhfolach i seomra. An dtig leat teacht ar an oráiste ag úsáid do shróine?

23

Blas

Cuir amach do theanga agus amharc uirthi sa scáthán. An bhfeiceann tú cnapáin bheaga uirthi? Sin na blaslóga. Blaiseann na **blaslóga** rudaí atá goirt, milis, géar nó searbh. Cén blas atá ar na rudaí sa phictiúr - goirt, milis, géar nó searbh?

In amanna insíonn an boladh duit cad é atá ann don dinnéar. Cuireann an boladh blas níos láidre ar an bhia.

Ar thug tú faoi deara riamh nach mbíonn blas chomh láidir ar an bhia nuair a bhíonn slaghdán ort agus gan tú ábalta bolú?

BAIN TRIAIL AS!

Coinnigh greim ar do shrón agus druid do shúile. Ith píosa d'úll, ansin píosa aráin, ansin píosa de bhanana agus ansin píosa cáise. An dtig leat a rá ón bhlas cad é atá tú a ithe? Anois déan é gan greim a choinneáil ar do shrón. An bhfuil blas níos fearr orthu?

24

Úsáideann ainmhithe an blas go minic. Tá an simpeansaí seo ag ithe torthaí milse.

Tá an bolb seo nimhiúil agus tá drochbhlas air. Má bhlaiseann éan é, insíonn an blas don éan gan an cineál seo bolb a ithe arís.

Tig le feithidí eitilte blaiseadh lena gcosa! Nuair a sheasann siad ar rud, bíonn a fhios acu láithreach an bhfuil sé blasta.

 SMAOINIGH AIR!

Cén bia is maith leatsa a ithe? An maith leat an boladh fosta? Smaoinigh ar bhia éigin ar maith leat a bhlas ach nach maith leat a bholadh.

Cuireann nathracha a dteanga amach leis an aer a bhlaiseadh. Ar an dóigh seo bíonn a fhios acu an bhfuil bia nó contúirt in aice leo.

Ag fanacht sábháilte

Bíonn ainmhithe i gcónaí ag úsáid a gcéadfaí le contúirt a mhothú. Úsáideann tusa fosta do chúig chéadfa le comharthaí contúirte a aithint. Foghlaimíonn tú iad agus cuimhníonn tú orthu agus cuidíonn sin leat coinneáil slán.

Nuair a bhíonn tú ag dul trasna an bhealaigh deirtear leat 'stad, amharc agus éist!' Amharcann tú gach treo ar an trácht agus éisteann tú le fuaim na gcarranna chomh maith sula dtéann tú trasna.

 AMHARC SIAR

> Amharc siar ar leathanach 21. Cén comhartha contúirte a thugann drochbholadh duit?

Mothaíonn do chraiceann te nuair a bhíonn tú róchóngarach do radaitheoir. Bíonn a fhios agat nár cheart duit do lámh a chur air.

De ghnáth, bíonn drochbholadh ó bhia atá ó mhaith. Bíonn a fhios agat nár cheart duit é a ithe.
Is dócha fosta go mbíonn drochbhlas air.
Cad é ba chóir duit a dhéanamh má chuireann tú píosa de i do bhéal?

SMAOINIGH AIR!

Amharc ar an chat seo. Tá sé ag úsáid a chéadfaí lena fháil amach cad é atá aige - rud le hithe, rud le súgradh leis nó rud contúirteach!

Nuair a théann tusa chuig áit úr nó nuair a fheiceann tú rud úr, smaoinigh ar an dóigh a mbíonn tú ag úsáid do chéadfaí lena fháil amach cad é atá ag tarlú thart ort.

27

Focail úsáideacha

Aintéiní Mothaitheoirí mothálacha a bhíonn ar a gcloigeann ag ainmhithe áirithe – seilidí agus feithidí, mar shampla. Is féidir aintéiní a úsáid le mothú, le bolú, le blaiseadh nó le héisteacht.

Blaslóga Cnapáin bheaga ar do theanga atá mothálach don bhlas. Insíonn siad duit cé acu atá an bia milis, goirt, géar nó searbh.

Céadfaí Tá cúig chéadfa agat - amharc, éisteacht, tadhall, bolú agus blaiseadh. Úsáideann tú do chéadfaí lena fháil amach cad é atá ag tarlú thart ort.

Cluasa Is le do chluasa a éisteann tú. Bailíonn na cluasa fuaimeanna. Is taobh istigh de do chloigeann atá na codanna den chluas atá mothálach don fhuaim.

Craiceann Is é do chraiceann an chuid den chorp a mothaíonn tú léi. Tá sé iontach mothálach.

Creach Nuair a mharaíonn ainmhí amháin ainmhí eile lena ithe, tugaimid creach ar an ainmhí marbh.

Eolas Rud ar bith atá a fhios agat nó a thig leat a fhoghlaim, sin eolas. Is eolas iad na rudaí a fheiceann tú ar an nuacht. Tugann do chéadfaí eolas duit faoi na rudaí a bhíonn ag tarlú thart ort.

Féasóg Ribí fada fionnaidh a fhásann thart ar bhéal cuid mhór ainmhithe. Cuidíonn siad leis an ainmhí a fháil amach cad é a bhíonn ag tarlú thart air.

Frídíní Iompraíonn frídíní galair a chuireann tinneas ort. Tá siad róbheag lena bhfeiceáil.

Inchinn Tá d'inchinn taobh istigh de do chloigeann. Is le d'inchinn a smaoiníonn tú agus úsáideann tú í leis an domhan thart ort a thuiscint.

Mothálach Is ionann bheith mothálach agus bheith ábalta rudaí a mhothú. Na codanna de do chorp a mothaíonn tú leo, tá siad uile mothálach ar dhóigheanna éagsúla. Mar shampla, tá do chraiceann mothálach don tadhall agus tá do shrón mothálach don bholadh.

Namhaid Duine nó ainmhí ar mhaith leis dochar a dhéanamh duit nó tú a mharú.

Sealgaire Ainmhí a bhíonn ag seilg ainmhí eile lena ithe.

Srón Mothaíonn do shrón bolaithe san aer. Bolaíonn tú rudaí nuair a análaíonn tú isteach trí do shrón.

Súile Amharcann tú agus feiceann tú le do shúile. Tá siad mothálach don solas agus do na dathanna.

Teanga Tá do theanga taobh istigh de do bhéal. Is le do theanga a bhlaiseann tú.

Teanga chomharthaí Daoine nach bhfuil an éisteacht go maith acu úsáideann siad teanga chomharthaí. Ní dhéanann siad fuaimeanna ach úsáideann siad comharthaí láimhe le labhairt lena chéile.

Innéacs

Maidir leis an leabhar seo

Is dual do pháistí bheith ina n-eolaithe. Foghlaimíonn siad trí bheith ag mothú, ag tabhairt faoi deara, ag cur ceisteanna agus ag baint triail as rudaí ar a gconlán féin. Tá na leabhair sa tsraith *Seo an Eolaíocht* curtha in oiriúint don dóigh a mbíonn páistí ag foghlaim. Baintear úsáid as rudaí coitianta mar thúsphointí lena dtreorú chuig a thuilleadh foghlama. In *Na cúig chéadfa* tosaítear le páiste ag ithe oráiste agus fiosraítear an dóigh a n-oibríonn na céadfaí.

Faightear topaic úr ar gach leathanach dúbailte – an éisteacht, mar shampla. Tugtar eolas, cuirtear ceisteanna agus moltar gníomhaíochtaí a spreagann páistí le rudaí a fháil amach dóibh féin agus le smaointe úra a fhorbairt. Coinnigh súil amach do na painéil seo síos tríd an leabhar:

BAIN TRIAIL AS! – gníomhaíocht shimplí, ag úsáid ábhair shábháilte, a chruthaíonn nó a fhiosraíonn pointe éigin.

SMAOINIGH AIR! – ceist a spreagtar ag an eolas ar an leathanach ach a dhíríonn aird an léitheora ar réimsí nach gclúdaítear sa leabhar.

AMHARC SIAR – gníomhaíocht chrostagartha a nascann téamaí agus fíorais síos tríd an leabhar.

Spreag na páistí le bheith fiosrach faoin domhan a bhfuil siad cleachta leis. Cuir rudaí ar a súile dóibh, cuir ceisteanna agus bíodh spraoi agaibh ag déanamh fionnachtana eolaíochta i gcuideachta a chéile.